Dear Aly!

Let this album this
reminds you about this
little country and its beauty!

Wish you all the best!

Wrocław 17.06.2004

Grzegorz

Polskie góry
The Polish Mountains

Agnieszka i Włodek Bilińscy

almapress

Oficyna Wydawnicza Alma-Press, Warszawa

Pieniny. Sosna na Sokolicy.
The Pieniny Mountains. A pine tree on Mt. Sokolica.

Od wydawcy

Przedstawiamy Państwu kolejny album znakomitej pary fotografików Agnieszki i Włodka Bilińskich. Tym razem zapraszają nas oni do wędrówki po polskich górach. Mimo że nie są one najwyższe to ich niezapomniany urok sprawia, że odwiedzają je przez cały rok miliony turystów. Narciarze, uczestnicy obozów wędrownych, wczasowicze i kuracjusze, młodzi i nieco starsi, wszyscy oni pozostają „górami urzeczeni". Czasami jednak nie mają już czasu na powrót do nich. Niech te wspaniałe zdjęcia przypomną im wrażenia ze szlaków. Tych zaś, dla których karty naszego albumu stanowić będą pierwszy kontakt z górami, niech zachęci on do górskich wedrówek. Wiara autorów i wydawcy w to, że każdy znajdzie coś dla siebie, graniczy niemal z pewnością. Zdjęcia ukazują bowiem najpiękniejsze miejsca w Tatrach, Karkonoszach, Pieninach, Bieszczadach, Beskidach i Gorcach. To porażająca dawka piękna!

Karkonosze. Potok Szklarka.
The Karkonosze Mountains. The Szklarka Stream.

Publisher's Note

We have the pleasure of presenting you the next album by the couple of excellent photographers, Agnieszka and Włodek Bilińscy. This time they take us on a hike in the Polish mountains. Even though they are not very high, their unforgettable charm draws millions of tourists to visit them all year round. Skiers, participants of trekking camps, holiday-makers and spa visitors, young ones and older ones - they all are „captivated by the mountains". Yet sometimes they have no time to return there. Let these magnificent pictures revive the moments spent on the mountain trails. And let them encourage those for whom looking at the pages of this album will be their first encounter with the mountains to try mountain-walking. The authors and the publisher are almost certain that everyone will find here something for themselves. The photographs show the most beautiful spots in the Tatras, Karkonosze, Pieniny, Bieszczady, Beskidy and Gorce. It is an astounding portion of beauty!

Tatry. Widok na Giewont znad Czarnego Dunajca.

The Tatra Mountains. A view over Mt. Giewont from the bank of the Czarny Dunajec.

Panorama Tatr z Głodówki.
A panorama of the Tatras from Mt. Głodówka.

Widok na Tatry z Polany Zgorzelisko.
A view of the Tatras from the Zgorzelisko Clearing.

Filipczański Potok.
The Filipczański Stream.

Rzeka Białka
i Tatry Bielskie.
The Białka River
and the Bielskie
Tatras.

Kapliczka na Polanie Chochołowskiej.
A shrine in the Chochołowska Clearing.

Dolina Za Bramką.
The Za Bramką Valley.

Dolina Pięciu Stawów Polskich.

The Dolina Pięciu Stawów Polskich (the Valley of Five Polish Ponds).

Widok na Wielki Staw spod Szpiglasowej Przełęczy.
A view over the Wielki Staw from below the Szpiglasowa Pass.

Schronisko w Dolinie Pięciu Stawów.
A mountain refuge in the Dolina Pięciu Stawów.

Potok Roztoka w Dolinie Pięciu Stawów.

The Roztoka Stream in the Dolina Pięciu Stawów.

Wodospad w Dolinie Morskiego Oka.
A waterfall in the Morskie Oko Valley.

Czarny Staw
Pod Rysami.

The Czarny Staw
below Mt. Rysy.

Mnich i Morskie Oko.
Mt. Mnich and the Morskie Oko Lake.

Dolina Morskiego Oka.
The Morskie Oko Valley.

Schronisko nad Morskim Okiem.
A mountain refuge by the Morskie Oko Lake.

Widok spod Miedzianego
na Morskie Oko i Czarny Staw.
A view from below Mt. Miedzany
over the Morskie Oko Lake and Czarny Staw.

Wiosną nad Morskim Okiem.
By the Morskie Oko Lake in spring.

Widok spod Kasprowego Wierchu na Tatry Zachodnie.
A view from below Mt. Kasprowy over the West Tatras.

Szlak z Kasprowego na Czerwone Wierchy.
A trail from Mt. Kasprowy to Mts. Czerwone Wierchy.

W Tatrach.
In the Tatra Mountains.

Na Kasprowym Wierchu.
On top of Mt. Kasprowy.

Panorama Tatr Zachodnich
z Kasprowego Wierchu.

A panorama of the West Tatras
from Mt. Kasprowy.

Kozica.
A chamois.

Dolina Gąsienicowa.
The Gąsienicowa Valley.

Kolejka linowa na Kasprowy Wierch.
A cable lift to Mt. Kasprowy.

Świnica.
Mt. Świnica.

Panorama Tatr
ze Świnicy.

A panorama of
the Tatras from
Świnica.

Karkonosze.

The Karkonosze Mountains.

Potok Szklarka.
The Szklarka Stream.

Wodospad Szklarki.
The Szklarki Waterfall.

Wodospad Kamieńczyka.
The Kamieńczyk Waterfall.

Las w Karkonoszach.
A forest in the Karkonosze Mountains.

Widok ze Srebrnego Upłazu na schronisko Strzecha Akademicka.
A view from Srebrny Upłaz onto the refuge "Strzecha Akademicka".

Kocioł Małego Stawu. W oddali Śnieżka.
The basin of the Mały Staw. Mt. Śnieżka in the background.

Skała Słonecznik.
The Słonecznik Rock.

Schronisko Samotnia.
The mountain refuge "Samotnia".

Łabski Szczyt.
Mt. Łabski Szczyt.

Widok z Twarożnika na schronisko na Szrenicy.
A view from Mt. Twarożnik onto the mountain refuge on Mt. Szrenica.

Karkonosze. Na Szrenicy.

The Karkonosze Mountains. On Mt. Szrenica.

Śnieżne Kotły.
Śnieżne Kotły.

Wielki Szyszak i Śmielec.
Mt. Wielki Szyszak and Mt. Śmielec.

Bieszczady.
Na Krzemieniu.
The Bieszczady
Mountains.
On Mt. Krzemień.

Bukowe Berdo.
Bukowe Berdo.

Na Smereku.
On Mt. Smerek.

Na Jaworniku.
On Mt. Jawornik.

Panorama z Dwernika Kamienia.
A panorama from Mt. Dwernik Kamień.

Bieszczady.
W Nasicznem.

The Bieszczady
Mountains. In Nasiczne.

Na Tarnicy.
On Mt. Tarnica.

Stok Magury Stuposiańskiej.
A slope of Mt. Magura Stuposiańska.

Na Połoninie
Wetlińskiej.
In Połonina
Wetlińska.

Pod
Caryńską.
Below
Mt. Caryńska.

Na szczycie Wetlińskiej o zachodzie.
On top of Mt. Wetlińska at sunset.

Schronisko na Połoninie Wetlińskiej.
A mountain refuge on Połonina Wetlińska.

Widok z Połoniny Caryńskiej na Tarnicę.
A view from Połonina Caryńska over Mt. Tarnica.

Połonina Wetlińska od strony Małej Rawki.
Połonina Wetlińska seen from Mt. Mała Rawka.

Widok z Połoniny Wetlińskiej na Caryńską.
A view from Połonina Wetlińska over Mt. Caryńska.

Na Małej Rawce.
On Mt. Mała Rawka.

Buczyna karpacka.
Carpathian beech wood.

Bieszczadzki potok.
A stream in the Bieszczady Mountains.

Świt nad Zalewem Solińskim.
Daybreak on the Zalew Soliński.

Nad Solinką.
On the Solinka River.

Widok z Palenicy na Pieniny.
A view from Palenica over the Pieniny Mountains.

Pieniny.
Trzy Korony.
The Pieniny
Mountains.
Mt. Trzy Korony.

Na Sokolicy.
On Mt. Sokolica.

W Pieninach.
In the Pieniny Mountains.

Przełom Dunajca.
The Dunajec Gorge.

Panorama Tatr z Pienin.
A panorama of the Tatras from the Pieniny Mountains.

Brama skalna nad Dunajcem.
A rock gate over the Dunajec River.

Jesienne widoki z Trzech Koron.
Autumn scenery from Mt. Trzy Korony.

Panorama Pienin z Czertezika.

A panorama of the Pieniny Mountains from Mt. Czertezik.

Dunajec.
The Dunajec River.

Zima w Pieninach.
Winter in the Pieniny Mountains.

Nad Zalwem w Niedzicy.
On the reservoir in Niedzica.

Panorama Tatr z Gorców.
A panorama of the Tatras from the Gorce Range.

Gorce.
Suchora.

The Gorce Range.
Mt. Suchora.

Szałas na
Obidowcu.
A chalet on Mt.
Obidowiec.

Gorce.
Zima na Obidowcu.
The Gorce Range.
Winter
on Mt. Obidowiec.

Szałasy w Gorcach.
Chalets in the Gorce Range.

Widok spod Turbacza na Długą Halę.
A view from below Mt. Turbacz over Długa Hala (Long Pasture).

Las
w Gorcach.
A forest in
the Gorce
Range.

Beskid Niski.
Polany Surowiczne.

The Beskid Niski Range.
Polany Surowiczne.

Orlik krzykliwy.
Lesser Spotted Eagle.

Czarne w Beskidzie Niskim.
Czarne in the Beskid Niski Range.

Wypas owiec.
Sheep
in a pasture.

Wisłoka.
The Wisłoka
River.

Las w Beskidzie Niskim.
A forest in the Beskid Niski Range.

Ryś.
A lynx.

Jeleń karpacki.
A Carpathian deer.

Zima w Beskidzie Niskim.
Winter in the Beskid Niski Range.

Beskid Sądecki.
Widok na Suchą Dolinę.

The Beskid Sądecki Range.
A view over the Sucha Valley.

Kolejka gondolowa
na Jaworzynę Krynicką.
A gondola lift
to Mt. Jaworzyna Krynicka.

Widok z Jaworzyny Krynickiej.
A view from Mt. Jaworzyna Krynicka.

Beskid Sądecki.
W Paśmie Jaworzyny.
The Beskid Sądecki Range.
In the Jaworzyna Range.

Na Jaworzynie.
On Mt. Jaworzyna.

Wyżne Młaki nad Wierchomlą.
Wyżne Młaki over Wierchomla.

Beskid Sądecki.
Widok na Małe Pieniny i Tatry.

The Beskid Sądecki Range.
A view over the Małe Pieniny
and Tatra Mountains.

Zima w Obidzy.
Winter in Obidza.

Beskid Wyspowy.

The Beskid Wyspowy Range.

Na Babiej Górze.
On Mt. Babia Góra.

Schronisko na Hali Miziowej.
A mountain refuge in the Miziowa Pasture.

Beskid Żywiecki. Hala Miziowa.
The Beskid Żywiecki Mountains. The Miziowa Pasture.

Beskid Żywiecki.
Na Pilsku.
The Beskid Żywiecki Range.
On Mt. Pilsko.

Stok Pilska.
A slope of Mt. Pilsko.

Zmierzch.
Dusk.

Korbielów.
Korbielów.

Zachód słońca.
A sunset.

Beskid Śląski.
Panorama z Koczego Zamku.
The Beskid Śląski Range.
A panorama
from the Koczy Castle.

Kaskady Rodła na Białej Wisełce.
The cascades of the Rodło on the Biała Wisełka.

Kolej gondolowa na Szyndzielnię.
A gondola lift to Mt. Szyndzielnia.

Schronisko pod Klimczokiem.
A mountain refuge below
Mt. Klimczok.

Zima na szczycie Malinów.
Winter on Mt. Malinów.

Beskid Śląski.
Na Skrzycznem.
The Beskid Śląski Range.
On Mt. Skrzyczne.

Las w Górach Złotych.
A forest in the Złote Mountains.

Wodospad Wilczki w Kotlinie Kłodzkiej.
The Wilczki Waterfall in the Kłodzko Valley.

Góry Stołowe. Skała na Szczelińcu Wielkim.
The Stołowe Mountains. A rock on Mt. Szczeliniec Wielki.

W Górach Stołowych.
In the Stołowe Mountains.

Góry Stołowe. Rezerwat Szczeliniec.

The Stołowe Mountains. The Szczeliniec Reserve.

Skały w Górach Stołowych.
Rocks in the Stołowe Mountains.

Góry Świętokrzyskie.
Gołoborze Łysej Góry.
The Świętokrzyskie
Mountains.
The scree of Mt. Łysa Góra.

Zapraszamy również do zapoznania się
z naszymi pozostałymi albumami o Polsce

We invite you as well to familirize with our other albums about Poland

Polecamy także miniatury albumu
„Malownicza Polska" w trzech wersjach językowych

We recommend you also miniatures of album „Picturesque Poland"
in three languages

❏ Redaktor: *Jacek Zyśk* ❏ Opracowanie typograficzne: *Włodzimierz Kukawski* ❏ Tłumaczenie: *Witold Biliński* ❏ Projekt okładki: *Łukasz Thor Dziubalski*
❏ Prepress Studio Wydawniczo-Graficzne DualArt Sp. z o.o.
❏ Druk i oprawa: *P.U.P. ARSPOL,* Bydgoszcz, wydanie II Warszawa 2002 ❏ ISBN 83-7020-282-9
❏ Oficyna Wydawnicza „Alma-Press" ul. Lędzka 44a, 01-446 Warszawa, tel. (0-22) 837-10-84, almapress@Qdnet.pl, **www.almapress.com.pl**